我的吸血鬼同學

04
銀月下的危機

創作繪畫・余遠鍠　　　故事文字・陳四月

目錄

迦南

擁有金黃魔力的人類少女。好奇心重，領悟力強，平易近人的她曾被黑暗勢力封印起她的魔力，是九頭蛇想拿的人。

安德魯

吸血鬼高材生。外形冷酷，沈默寡言，喜歡閱讀的他想找出失蹤多年的父親，對迦南格外關心。

卡爾

胃口極大的人狼。是學園小食部常客，身材健碩，熱愛跑步，經常遲到的他和安德魯自小已認識。

米露

身手靈活的貓女。像貓兒一樣喜歡捕捉會動的物件，有收集剪報的習慣，熱愛攝影的她夢想成為魔法世界的記者。

美杜莎

蛇髮妖族的後裔。由於這一族的妖魔出了很多危害國家的罪犯，所以美杜莎在學園也被杯葛孤立。她曾嫉妒受歡迎的迦南，但現時二人已成為朋友。

法蘭

魔幻學園的訓導主任。同時是學園舊生的他因為一次事故變成半人半機械的模樣。表面對學生嚴厲其實十分疼愛學生。

四葉

來自東方學園的九尾妖狐少女。活潑好動而且十分熱情的她和卡爾有婚約在身。和迦南一樣，四葉也擁有金黃魔力。

阿諾特

吸血鬼一族的王子，是被寄予厚望的天才。追求力量和榮耀的他自視高人一等，對同樣被視為天才的安德魯抱有敵意。

卡隆

人狼卡爾的父親，是皇家騎士團的團長，肩負保衛國的重任，在人狼族中的地位甚高。

貝露

皇家騎士團的成員，是擅長使用魔法的長耳精靈。平易近人，和藹可親，在戰場上主要支援隊友。

多恩

皇家騎士團的成員，以六隻手操控多把短刀，身手靈活的蜘蛛男，是在團隊中衝鋒陷陣的重要角色。

依娃

稀有的不死族妖魔，不老不死的她雖然個子小小，有如少女，但其實是活了幾百年的妖魔。

我的
吸血鬼同學

　　黑魔法派的一個隱密據點之內，阿諾特站在九頭蛇海德拉面前，奉上魔力容器。

　　「我要得到**黑魔法**的力量，不是藥水那種單次使用的，我要確確實實變得更加強大。」阿諾特的目標，是驚人的**黑魔法力量**。

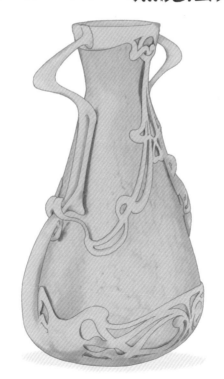

「我可以幫助你，讓你變成**有史以來**最強大的吸血鬼，但條件是吸血鬼一族，必須歸順黑魔法派。」海德拉盯上了阿諾特，因為他是吸血鬼未來的**領導人**。

「待父王退位，我才能作主。」阿諾特沒想到，海德拉包藏的禍心有多大。

「這問題我自會解決，你只要乖乖坐上王位就行了。」海德拉的目標是吸血鬼族。

阿諾特已沒法回到學園，自從敗給安德魯之後他已決定**放棄光明**，他和安德魯註定踏上不同的道路，他的前方，是永無止境的黑暗。

魔幻王國的首都「皇城」之內，多個種族的領袖和官員正**聚首一堂**，當中包括魔藥研究院的精靈族主艾蜜莉，智慧之城的史萊姆皇，海洋之都的人魚皇后，他們都因為國王召開的特別會議而來到皇城。

　　長有一頭亮麗金髮的**獅子國王**亞瑟表情嚴肅，因為魔幻世界正面臨前所未有的威脅。

　　「國王陛下，經過我們精靈族數月的觀察，『魔界樹』枯萎的情況沒有停止的跡象，而我們研發的藥物也未有成效。」魔藥研究院的院長艾蜜莉說。

　　「**末日的預言**靈驗了⋯⋯國王陛下，我們該如何是好？」負責協助國王處理國事的鳥人首相問。

　　「院長，我們還有多少時間？」亞瑟問。

「五年……或者更短，保護『魔界樹』的金黃魔力將會徹底消失，支撐著魔幻世界的『魔界樹』將會枯死倒下。」艾蜜莉說。

末日將至，但他們還是無計可施。

「由九頭蛇海德拉率領的黑魔法派也愈來愈活躍，先有三頭犬襲擊人界，變色龍和毒蜂

女早前更侵犯魔幻學園。」守衛王國的巨人軍官報告著說。

「**外憂内患**……眾大臣有沒有什麼良策？」獅子王阿瑟頭痛著說。

「國王陛下，海德拉揚言能以黑魔法治好『魔界樹』，他所發動的襲擊也是以金黃魔力為目標，我們是否應該和海德拉見面，尋求雙贏的辦法。」面對末日和黑魔法派的威脅，鳥人首相建議和敵人協商。

「黑魔法派是邪惡和奸狡的組織，我認為接見他們是**不明智**的舉動。」來自智慧之城的大賢者史萊姆皇說。

「但是魔藥研究院無計可施，智慧之城的賢者也找不到治療『魔界樹』的方法，我們總不能**坐以待斃**，任魔幻世界就此滅亡吧？」人魚皇后說。

以金黃魔力治療「魔界樹」，是黑魔法派宣揚的理念，也是他們聲稱的唯一方法。

　　「黑魔法派的方法未經證實，那只是海德拉的**片面之詞**，再者這方法要犧牲眾多國民的生命，身為國王這是我最不想選擇的方法。」獅子王阿瑟不相信黑魔法能拯救世界。

　　「我們會繼續努力研究治療的方法，但若到最後也不成功，我們精靈族會選擇支持黑魔法派。」艾蜜莉代表著整個精靈族。

　　「如果犧牲**一小撮人**能阻止末日降臨，我們海洋之都的國民，也唯有站在黑魔法派那邊了。」人魚皇后也不願看見世界末日。

　　「關於末日和黑魔法派復興的事還是盡量不要讓外界知道，以免**人心惶惶**。」阿瑟只好繼續隱瞞真相，祈求拯救世界的方法早日出現。

魔幻王國的繁榮是靠多個種族共同建立，但面對**生死尤關**的問題時，原本支持獅子王阿瑟的領袖們都開始動搖，國家的分裂正是海德拉最想看見的結果，因為這是黑魔法派壯大起來的最佳時機。

而作為皇家騎士團團長的人狼卡隆卻**缺席**這重要的會議，因為他去了魔幻學園探望他那貪吃的兒子卡爾。

魔幻學園迦南班的宿舍之內多了一位食量
比卡爾更驚人的客人，人狼卡隆和兒子卡爾正
在進行大胃王爭霸戰，宿舍提供的晚餐已被吃
清光，但餐桌上還持續出現菜式。

已經是第幾碟菜了？

吸血鬼安德魯看得目瞪口呆。

卡爾那邊是三十七碟，卡
隆叔叔的應該快四十碟了。

迦南正為他們記錄成績。

難以想像這兩人的肚子能
載得下這麼多食物呢，喵～

貓女米露摸著肚皮說。

他們的肚子內有黑洞嗎？

蛇髮魔女美杜莎也感到震驚。

「加油呀卡爾！世伯也
放心吃吧，再多菜式我也會
為你們奉上的！」

廚藝高超的九尾狐四葉繼續為他們上菜。

「不用叫我世伯啦，你是卡爾的未婚妻，叫我**爸爸**就行了。」卡隆滿意地邊吃邊說。

「**咳……咳咳！**我未答應這門婚事的！」卡爾不慎嗆到，比賽最終以三十七比四十一由卡隆獲勝。

「吓？四葉又可愛又這麼會下廚，卡爾你能娶她做老婆，簡直幾生修到啦。」卡隆取笑他說。

眾人歡樂地聊天，安德魯卻顯得**心事重重**，對安德魯特別上心的迦南一眼就看出他和往常不一樣。「安德魯，你怎麼啦？身體不舒服嗎？」迦南擔心著說。

　　「不……沒什麼。」因為安德魯早前從卡隆口中得知父親的消息。

　　「受校長所託，我早前調查了一個小鎮，我在那裡遇上了安德魯的父親——**安古蘭**。」卡隆換上嚴肅的表情說。

　　「爸爸……」安德魯也露出緊張的表情。

「那裡是黑魔法派的**秘密據點**，我帶著皇家騎士團發動攻擊，本想把他押回學園徹底調查，但被他逃脫了。」卡隆嘆了一口氣。

「奇怪的是，在我和他交手的期間，他一次也沒有使用黑魔法，身上也沒有紫黑的氣息。」卡隆和安古蘭**刀劍交鋒**，兩人各自施展渾身解數，但他卻沒有感覺到黑魔法派的黑暗力量。

「安德魯，我相信你的父親是有苦衷的，他不是會屈服於黑暗的人，我希望你也一樣，別像阿諾特一樣走上歪路。」卡隆說。

十年前是安古蘭叫兒子前來營救迦南，迦南才能拾回一命，所以安德魯也相信父親一定另有**苦衷**。

第二章

新的吸血鬼王

「明天開始就是學校假期了，你們這班**年輕人**有什麼節目嗎？」卡隆問。

「我……我想在這段時間增強體能……卡隆叔叔你能幫幫我嗎？」除了父親的事外，安德魯也為**變得更強**而煩惱。

「其實我正是受法蘭那木口木面的傢伙所託，來為你們進行特別訓練的。」卡隆指著迦南和四葉說。

「**特別訓練？我們？**」迦南好奇地問。

「迦南和四葉是身懷**金黃魔力**的人，相信你們也知道自己已成為黑魔法派的目標了吧？」卡隆認真地說。

「嗯。」迦南和四葉同樣受過黑魔法派幹部的襲擊，這是金黃魔力持有者的命運。

「所以你們必須盡快擁有**保護自己**的實力，無論在魔法和體能上都要更上一層樓。」卡隆受託擔任特別教練，因為他有訓練皇家騎士團的豐富經驗。

「我⋯⋯我也想加入。」安德魯想要守護迦南，為此他需要更強的力量。

「當然可以，而且卡爾你都有份，四葉是你的未婚妻，你有責任好好保護她。」卡隆已準備好訓練內容。

「我已經很強了呢，那訓練在學園內進行嗎？」卡爾對自己**充滿信心**，但對特別訓練亦很有興趣。

「難得假期將至，我們的特別訓練就在校外進行吧……在一個非常適合訓練的地方。」卡隆滿意地笑著說。

「即是哪裡？」迦南對這假期充滿期待。

「人狼族的領土——狼牙山谷。」人狼族歷史悠久，他們的發源地也正是卡隆和卡爾的故鄉，住滿人狼的美麗山谷。

魔幻學園的大門之外，安德魯、卡爾、迦南和四葉四人帶著輕便的行李集合起來，迦南的父母史提芬和玥華正檢查迦南的行李有沒有帶漏什麼。

「爸媽……我已經不是小孩子啦。」迦南臉紅著說。

「在父母眼中，子女永遠都是小孩子呀。」玥華叮嚀著說。

「學長，孩子們便拜託你了。」魔法老師和卡隆握著手說。

「啊，放心交給我吧，我會把這班孩子**訓練得壯健**後再帶回來的。」卡隆輕拍史提芬的肩膀說。

「學長？卡隆叔叔比我爸媽更早入學嗎？」迦南好奇地問。

「我們還是一年級生的時候，卡隆已是三年級的學長了，不過他是個**亂衝亂撞**，把飯堂的食材都偷吃清光的壞學長罷了。」訓導主任法蘭也提著行李箱來到校門。

「呵呵，法蘭你也來我老家嗎？」卡隆看著法蘭想起年輕時的校園生活。

「狼牙山谷有很多**珍貴的藥草**，對我的研究會有幫助。」法蘭還在為治療「魔界樹」

而努力研究。

「有法蘭在就可以放心了，你們要努力特訓，但也不要**弄壞身子**呀。」玥華微笑著對四人說。「對了，我們不是應該去坐飛行纜車嗎？」迦南問。

「那東西太慢了，我們坐別的交通工具。」卡隆說罷，四頭長有鳥翼的白色天馬拉著大車廂從天而降。

「嘩……」從未見過天馬的迦南感到興奮不已。

「團長，我們來接你了。」兩名同屬皇家騎士團的團員駕著天馬車來到校門前，他們分別是長耳女精靈和蜘蛛男騎士。

「出發吧，向我們的特訓地點——狼牙山谷。」卡隆打開車門，他們的**奇異旅程**將會在翠綠的山谷中展開。

人狼的故鄉是**綠草如茵**的狼牙山谷，而吸血鬼的發源地是高雅的黑翼古堡，這座古堡經歷了吸血鬼一族從盛極轉衰，而時至今日，吸血鬼一族將面臨重大改變。

「父王，時代不同了，我們要扔棄老舊的思想，才能帶領吸血鬼一族發光發亮。」吸血鬼王子阿諾特對老邁的吸血鬼王說。

「接受黑魔法派的力量，成為支持海德拉的勢力，這事我絕不允許，他們都是破壞世界秩序的**害群之馬**，是反抗王國的叛亂分子。」吸血鬼王嚴肅地說。

「你看看有多少人站在改革的一邊？你看看黑魔法的力量有多強大？」阿諾特釋放出驚人的紫黑魔力，他的雙翼變得比過去更闊更大，站在他身後的吸血鬼佔大比數，但他們的眼神都**流露著恐懼**。

「**黑就是黑，白即是白**，就算多強大也好，接觸黑魔法也是禁忌。王兒你令我太失望了，人來，把王子囚禁起來。」吸血鬼王失望地下令，但沒有人敢作出反應。

因為威脅著他們，恐嚇著他們的幕後黑手踏入了吸血鬼王的宮殿，他散發的力量更比阿諾特強上百倍。

要被囚禁的人是你才對，食古不化的老吸血鬼。

海德拉氣勢迫人，九頭蛇的魔力教在場的人都不敢妄動。

「想不到你還活著，十年前你襲擊魔幻學園時我明明親眼看著你被消滅。」昔日的戰爭中，吸血鬼王也有支援學園，他和校長巴哈姆特是**多年摯友**。

「天讓我活下來，是要我拯救這魔幻世界，免得它和『魔界樹』**一同滅亡**，但這世界還是有很多和你一樣思想守舊，阻礙我大業的**老頑固**。」海德拉養尊處優，力量已比剛復活時強大得多。

「你和你的父親一樣妖言惑眾，唯恐天下不亂，現在你竟敢侵犯我國，看來今日我不能讓你活著離開了。」吸血鬼王展開一雙巨大的蝙蝠翅膀，他快速舞動魔法杖，眨眼間已完成大型魔法陣。

「你有這本事嗎？」海德拉身後伸延出九條大蛇，每一條蛇也目露兇光。

「究極暴雷魔法！」吸血鬼王發動攻擊，紫色的雷電呈現出獅子的模樣向海德拉狂奔。

但雷獅無法對海德拉造成損傷，因為他身邊的九條大蛇已把雷獅咬住，雷電魔法正被海德拉逐漸吸收。

「對不起，父王。」阿諾特趁父親不備之際偷偷霧化到他身後，把匕首刺入他的腰間。

「王兒……你……」吸血鬼王無法再使出魔法，捂著傷口的他更來不及防禦海德拉的攻擊。「究極石化魔法。」九對蛇眼射出石化光線，一代帝王變成了灰暗的石像。

「頑固的傢伙最適合變成石頭，有誰不服氣的話儘管站出來，我把他變成像這老王一樣的石頭監禁起來。」海德拉環視著在場的人說。

「沒有的話，就向新的吸血鬼王阿諾特下跪，表示你們的**忠誠**吧。」海德拉把阿諾特捧上王座。

追求力量的阿諾特終於得到吸血鬼王的地位，但他靠的不是自己的力量，而是黑魔法派領袖海德拉的**淫威**。

魔幻王國國王阿瑟畏懼的事正在發生，吸血鬼族已變節支持黑魔法派，更多勢力將會歸順於有意推翻王國的海德拉 。

◆第三章◆
狼牙山谷

　　人狼的領土名為狼牙山谷，因為這裡有兩座如狼牙般彎曲的大山屹立於山谷兩側，迦南他們乘坐的天馬車已來到綠草如茵的大山谷，一幢又一幢民族風味十足的木屋築成人狼聚居的村落。

「好漂亮！」初次來到狼牙山谷的迦南讚嘆著說。

「我也很久沒來這裡了。」和卡爾自小認識的安德魯曾經在這裡逗留過不短的時間。

天馬車終於降落，迦南和四葉**急不及待**踏上這片充滿新鮮感的土地。

「這裡就是我**未婚夫**成長的地方嗎？卡爾一定很喜歡在這麼廣闊的草原上跑步吧？」四葉能想像好動的卡爾全力奔跑的樣子。

「除了用餐時間外，卡爾總是不停地跑來跑去。」安德魯取笑著說。

「要比賽一下嗎？看看誰先到達我家。」卡爾做好了熱身運動，望見翠綠的草原，他的雙腿已**按捺不住**。

「怕你嗎？」安德魯展開一雙蝙蝠翅膀，準備和卡爾來一場久違了的速度比試。

「**卡爾！等等我呀！**」看到卡爾和安德魯飛馳起來後，四葉也立即變作九尾狐狸追上他們。

「年輕人真有衝勁呢！迦南你不追上去嗎？」卡隆開懷地笑著問。

「**不……不用了**。」迦南尷尬地笑，相比起速度比試，迦南更想欣賞這裡美麗如畫的風景。

「我先上狼牙山一趟，行李便有勞卡隆代我帶回去了。」訓導主任法蘭從行李中取出工具箱。「剛到達就開始工作了嗎？晚飯前要回來啊，不按時吃飯會長不高的。」曾是學長的卡隆還把法蘭當成**小孩子**般打趣地說。

「法蘭老師！我可以跟你一起去嗎？」迦南也希望對這裡認識更多。

「也好，作為魔藥科的實地勘察，這是個不錯的地方。」法蘭欣賞好學的學生。

但迦南還未知道法蘭來採集的原因。讓他和魔藥研究院的學者**頭痛萬分**的「魔界樹治療計劃」，是保護魔幻世界和金黃魔力持有者的希望。

卡爾的老家門外，卡爾年幼的弟弟和妹妹已熱切期待大哥和他的朋友們到訪，三隻小小的人狼看著狂奔的哥哥揮手跳躍。

　　「嘎……是我快一點到達！」卡爾喘著氣說。

　　「不，是我快一點……」安德魯也筋疲力竭。

　　「安德魯哥哥！很久不見了！」卡爾的弟妹十分喜愛安德魯，和孩子氣的卡爾不同，安德魯更像個穩重的哥哥。

　　「你們也長高了呢，再過一段日子我恐怕也抱不起你們了。」安德魯抱起三隻小人狼說。

「你們……完全不等我呢，人家好歹也是妖狐公主，你們一點也不遷就一下。」面對全速前進的兩人，九尾狐四葉也**力有不逮**。

「九尾狐姐姐！是哥哥的妻子！」但對小人狼弟妹來說，相識已久的吸血鬼哥哥也不及九尾狐嫂子般吸引，三隻小人狼從安德魯懷中跳下，轉眼間已撲到四葉身上。

「你們是卡爾的弟妹吧？真可愛呢！」四葉很喜歡小孩子，而且相比卡爾，這些小人狼更願意親近她。

「**太好了！**婚宴上會有很多好東西吃的！」卡爾最年幼的弟弟已在流口水。

「大嫂！」聽到有好東西吃，卡爾另外兩個弟妹也連忙向四葉撒嬌。

「到底人狼族有多**貪吃**？你要為此多結幾次婚嗎？」安德魯在卡爾耳邊輕聲說。

「要不你和迦南的婚禮也在人狼山谷舉行

吧？反正我家人也很喜歡你。」卡爾把話題轉到安德魯和迦南身上。

「我……我……才沒有想這麼多。」這突如其來的問題害安德魯面紅起來。

「唉呀，安德魯也來了嗎？你好像又瘦了，在學園沒有好好吃飽嗎？」卡爾的媽媽熱情地問。

「伯母，很久不見了。」安德魯微笑著說，在人狼的故鄉裡他能感受到**家庭溫暖**，這是在吸血鬼城堡中體會不到的東西。

自十年前安德魯的父親加入黑魔法派襲擊學園然後**失去踪影**，他的母親便把自己關起來，安德魯沒有再看過母親的笑容，甚至她的容貌，安德魯也快想不起來。

「大家辛苦了，快進來好好休息吧，我會為你們準備豐富的晚餐。」卡爾的母親把安德魯當成兒子一樣。

吸血鬼和人狼的友好關係已持續幾百年，他們也不認為這關係會有所改變。

但吸血鬼一族已**發生巨變**，舊的吸血鬼王被石化囚禁，新的吸血鬼王更倚仗黑魔法派的力量。

狼牙山上長有不少稀有的魔幻植物，這裡的土壤和氣候良好，是提供魔藥材料的勝地，所以魔藥科教師法蘭特意前來，希望找到有效治療「魔界樹」的方法。

「這種魔草是有毒的，千萬不要用手觸摸。」法蘭叮嚀著**好奇心**旺盛的迦南。

「法蘭老師你真的很厲害呢，彷彿世上所有魔幻植物你都很了解。」迦南戰戰兢兢地跟隨法蘭。

「魔幻世界**廣闊無比**，我知道的東西只是冰山一角，所以我相信……」法蘭欲言又

止，他猶豫著要不要告訴迦南真相。

「相信什麼？」迦南清澈明亮的眼睛
讓法蘭作出了決定。

「相信這世界一定存在能治癒『魔界樹』
的方法，除了犧牲金黃魔力持有者的生命外。」

法蘭決定告訴迦南，一個對外界
還未公開的殘酷真相。

「『魔界樹』真的正在枯萎了嗎？」迦南擔心著說。

「五年……或者在更短時間內，支撐魔幻世界的『魔界樹』便會枯死，天空將會塌下來，這個世界將會滅亡。」法蘭指著遠方，在狼牙山上能隱約看到屹立在皇城的「魔界樹」。

「那麼說……黑魔法派的預言是真的，他們想捕捉我的原因，是為了拯救魔幻世界嗎？」迦南感到困惑起來，行事不擇手段，草菅人命的黑魔法派竟然是拯救世界的人。

「那是海德拉的片面之詞，沒有人能證實金黃魔力是否能治癒『魔界樹』，因為『魔界樹』不曾出現病症，世上所有魔法和魔藥也未曾對『魔界樹』帶來任何影響。」法蘭解釋著說。

「但要是犧牲我……犧牲身懷金黃魔力的人就能讓大家活下去……」迦南開始對自己的存在質疑。

「別**胡思亂想**，你的父母、學園的老師和校長、還有我也不會讓這種事情發生。」法蘭安慰著迦南。

「魔幻王國內的學者、魔藥研究院的研究員、書城的賢者們還有我，也一直在努力尋找解決方法，以人命作賭注這種事情，國王是不會容許的。」法蘭說得無錯，王國裡有很多人也在**爭分奪秒**，他們都不想看到末日降臨。

「那⋯⋯我可以幹什麼？有什麼事我能出一分力嗎？」就算再微小，迦南也想為阻止末日之事努力。

「努力學習，保護好自己免被黑魔法派傷害，這就是你該做的事情。」法蘭輕拍迦南後背，希望這小女孩別**被恐懼吞噬**。

「回去吧，時候不早了，大家應該正等候我們共進晚餐。」在狼牙山谷的旅程才剛開始，

就算時間有限，亦不用急於一時。

　　法蘭帶著迦南慢慢向卡爾的家進發。狼牙山谷的晚上寧靜而安穩，但另一邊廂的吸血鬼城堡卻瀰漫著緊張的氣氛。

◆第四章◆
訓練開始

黑翼古堡之內，坐在王座上的阿諾特沒有露出皇者的威嚴，他的身體微微顫抖，站在他面前除了一眾聽命於他的吸血鬼大臣外，還有兩名散發強大魔力的妖魔。

　　「按照約定，我讓你擁有黑魔法的強大力量，還把你捧上吸血鬼最高的位置，你現在是時候給我回報了吧？」海德拉的魔力令阿諾特不寒而慄。

　　開始學習黑魔法的阿諾特雖然實力突飛猛進，但和海德拉相比還有如初生之犢。

　　「一眾吸血鬼聽令，從今天開始我們吸血鬼一族不再支持王國，我們都會成為黑魔法派的一分子，協助海德拉阻止世界末日。」

雖然阿諾特坐在王座之上，但在場所有人也知道海德拉才是**真正掌權**的人。

「既然黑魔法派和吸血鬼已結成同盟，相信陛下也很樂意為我分憂吧？」海德拉說。

「你們想要什麼？」阿諾特知道這是一場交易，他得到了王位，自然要為海德拉辦事。

「魔幻世界之內還有很多不懂變通的勢力，我要給他們一個警告，我要讓世人知道黑魔法派已**重臨大地**，真正能拯救世界的不是王國，是我率領的黑魔法派。」海德拉要向王國宣戰，更要公佈世人末日將至的真相。

「人狼族長久以來對王國忠心不二，皇軍之內也有不少核心成員是人狼，我希望陛下能帶兵攻打人狼山谷，教訓一下這班不識時務的人狼。」海德拉的下一個目標是人狼族。

「但人狼族實力雄厚，貿然向他們進攻，恐怕我們吸血鬼族會**死傷慘重**……」

阿諾特感到畏懼，一上任吸血鬼王位就要面對戰爭。

「放心吧，海德拉大人不會要你承受這麼大的風險，你只需帶領少量精英進行偷襲，而我也會一同前往，把人狼打個落花流水。」站在海德拉身旁的女妖魔個子小小，留著黃色長髮的她皮膚卻是綠色的。

「依娃，你應該尊稱他為陛下。」海德拉輕拍這小女妖的頭顱。

「偷襲……」阿諾特向來自視甚高，沒想過要幹出偷襲這種不義的行為。

「我的陛下只有海德拉大人呢。」依娃笑笑口說，她的眼中阿諾特只是傀儡。

吸血鬼和人狼的關係快要決裂，但身在人狼山谷的人狼們還懵然不知，被力量蒙蔽雙眼的阿諾特已踏上**不歸之路**。

卡爾的家洋溢著一片熱鬧的氣氛，從魔幻學園到訪的客人們一同吃晚餐，卡爾和卡隆又再大吃大喝起來。

「哈哈，卡爾家每天也這麼熱鬧嗎？」看到這歡樂的景象，迦南暫時忘卻了末日的事，對女高中生來說末日這話題未免太沉重。

「人狼們都喜歡熱鬧，每逢節日到來更會有大盛會，族人都會聚集一起載歌載舞。」安德魯也喜歡這裡的氣氛。

「看來嫁給人狼很不錯，天天可以愉快地吃喝玩樂。」卡爾的弟弟妹妹已飽得動彈不得，他們已靠在四葉膝蓋上**呼呼大睡**。

「四葉會是個好媽媽呢，我家笨兒子能娶你真有福氣。」卡爾媽媽也很滿意這未來媳婦。

「我還未打算結婚的，我要像爸爸一樣成為皇家騎士團的騎士，皇城這麼繁榮，一定有很多好東西吃。」卡爾對**愛情**和**婚姻**還未感興趣，但對美食的慾望卻非常大。

「想當騎士的原因是為吃嗎？其他人呢？已找到未來的目標了嗎？」卡隆笑著問。

「我要當個**善解人意**的妻子，還要生很多小孩，做全職家庭主婦。」九尾狐四葉嚮往簡單的家庭生活，她的說話讓卡爾滿臉通紅。

「迦南和安德魯呢？」卡隆再問餘下的兩人。

一提到未來，迦南便想起末日，到底他們還有沒有未來？這還是未知數。

「我想⋯⋯遊遍這個魔幻世界，幫助生活在苦難的人，像爸爸⋯⋯還有老師們那時一樣。」安德魯看著法蘭說。

「魔幻世界無奇不有，的確很值得用自己的眼睛看一遍。」法蘭和安德魯的父親，還有迦南的父母曾踏上這樣的旅程，法蘭也因為有過這樣的體驗才決定成為老師，作育英才。

「我可以和你一起去嗎？我也想把這身金黃魔力用在有意義的地方上。」迦南想像著和安德魯無拘無束地飛翔的畫面，如果有未來，如果不再過著被追捕的生活，她的夢想就能實現。

「當然可以。」安德魯想要握緊迦南的手，但這一切還是得在迦南身上的危機解除之後。

「只要好好訓練，你們都有機會變得比你們的父母更出色，明天開始的訓練我可不會對你們手軟啊，你們做好心理準備吧。」卡隆期待著說。

晨光映照翠綠的草原，迦南等人一大清早就已經集合在草原上，皇家騎士團團長卡隆穿上威武的**騎士鎧甲**，散發出和昨日截然不同的氣息。「世伯很帥氣呢，卡爾你將來也會穿得這麼英明神武吧？」四葉在卡爾耳邊輕聲說。

「我穿起鎧甲一定會比老爸更帥氣，我肯定！」卡爾**斬釘截鐵**地說。

「肅靜！現在開始就是進行特訓的時間，我已因應你們各自的特別需要，安排好訓練內容，這兩位是我團中表現出色的下屬，他們特意前來協助你們訓練。」卡隆**一臉嚴肅**，他身後的兩位騎士團成員也上前開始自我介紹。

「我是皇家騎士團中負責支援團隊的魔法師，貝露。」長耳女精靈禮貌地笑著說。

「我是副團長，外號**千手蜘蛛**的多恩。」蜘蛛男的腰間掛著多把短劍，他的身材偏瘦但十分高大。

「負責指導四葉的是多恩，迦南你的導師則是貝露，你們跟著導師開始第一堂課吧。」卡隆說。

「來吧，小九尾狐，我來教導你尾巴的正確用法。」蜘蛛男的掌心噴出**蜘蛛絲**，然後跳躍搖盪到遠方。

「又要賽跑嗎？等等我呀蜘蛛老師！」四葉連忙追上去。

「那麼在開始訓練前，我們先去購物吧，我會教授你魔法師在戰場上的作戰方法。」貝露騎上飛行掃帚，迦南也不敢怠慢準備起飛。

「那我們呢？我們的導師呢？」卡爾東張西望，但特別導師卻已離去。

「你們的導師是我，而且你們的訓練內容非常簡單。」卡隆**摩拳擦掌**，臉上露出充滿自信的笑容。

「**是老爸嗎？**」卡爾感覺到勢色不對。

「卡隆叔叔？」安德魯也感受到強烈的壓迫感。「禁止使用魔法，赤手空拳擊敗我吧。」

卡隆展現出人狼姿勢，身高比起卡爾變成人狼時高出一半。

　　身型龐大的人狼卡隆猛烈進攻，安德魯和卡爾開始了**地獄式**的搏擊訓練。

第五章

魔法用品店

　　狼牙山谷的主要貿易市場，是位於狼牙山下的大型市集，這裡人來人往，無論是食材還是日用品也**應有盡有**。

　　「我從未去過魔法世界的商店街，這裡真的十分熱鬧！」迦南興奮地說。

　　「狼牙山谷的市集不只是人狼，其他種族

的妖魔也喜歡來購物，再加上人狼族的大節日快到了，這裡聚集了更多遊客。」精靈貝露帶著迦南穿梭在人群之中，各式各樣的新奇商店教迦南**大開眼界**。

　　新奇的魔幻植物蔬菜店，特色烤肉的檔子，還有掛滿兵器護甲的武器商店，更有不少準備中的大型攤位，人狼族**威名遠播**，他們的大型慶典更是旅客不能錯過的節目。

「沒錯，再過幾天就是一年之中月亮最圓最大的日子，在人狼山谷看到的滿月會映照出銀光，人狼族會在這天一同慶祝，他們稱呼這節慶為『**銀月祭**』。」貝露邊走邊解釋，很快就來到她和迦南的目的地。

「『銀月祭』……好像很厲害呢，我在故事中看過人狼會在月圓之夜失控，這是真的嗎？」迦南想起看過的小說故事後**不寒而慄**。

　　「哈哈……的確有類似的事情發生
過。人狼在成長中必定會在月圓之夜經歷一次
失控暴走，只要能支撐著回復理智，他們就能

駕馭月亮賜給他們的力量，傳說這是月亮之神對人狼的祝福。」貝露停在魔法用品店門外繼續解釋。

「那麼……要是回復不到理智會變成怎樣？」迦南接著問。

「那人狼便會淪為狂暴兇殘的野獸，為免他們傷害無辜百姓，人狼族會把他們處死。」貝露平淡地說。

「這不是很殘忍嗎？又不是他們想要失控。」迦南問。

「人狼族自古以來也是戰鬥民族，經歷這考驗是成為出色的人狼戰士必經之路。但要是想逃避，也會像卡爾一樣每逢月圓之夜喝下以長眠花沖泡的花茶，倒頭大睡。」

貝露知道這考驗對其他人來說有多殘酷，但對人狼來說這是成長的證明。

「卡爾他還未經歷嗎？」好勝的卡爾居然一直逃避月圓的考驗，這一點讓迦南意想不到。

「進去吧，大家已經開始特訓，你也不能怠慢啊。」貝露推開大門，在關心卡爾之餘，迦南也不能停下腳步，因為黑魔法派的勢力已逐漸擴大。

森林之內，四葉和蜘蛛副團長多恩的訓練進行得如火如荼，身手敏捷的多恩既能以蜘蛛絲在樹木之間快速搖盪，又能以六隻手臂靈活進攻。

「又不能使用狐火和法術……這特訓真的很麻煩啊！」四葉氣憤地說。

「小九尾狐，你太倚賴法術，連身為九尾狐最大的優勢也忽略了。」多恩的快速進攻教四葉難以招架。

「要是我能使用狐火的話，一定能打贏你的！」不服氣的四葉正在**鬧彆扭**。

「雖然你身懷金黃魔力，但在戰場上難免會出現不能使用法術的情況，到時候你要怎樣保護自己？」多恩所說的狀況，四葉也曾有類似經歷。在霧林被變色龍襲擊時，四葉便受環境限制不便燃起狐火。

「所以你要善用你的尾巴，像我的手臂一樣，每一條尾巴也要仔細操控，像獨立個體一樣。」多恩在**談笑用兵**之間已把四葉摔倒，皇家騎士團的團員每一個也身經百戰。

「多手蜘蛛也說得有道理⋯⋯本小姐就不信操控不好自己的尾巴！看招！」四葉沒有灰心，士氣高昂的她又再站起進攻。

卡隆為四人精心準備了特訓，卡爾和安德魯的訓練要求更是**特別苛刻**。

連續兩小時的搏擊訓練後，卡爾和安德魯已氣喘如牛，但卡隆還是氣定神閒，精力充沛。

太弱了，你們能從黑魔法派手上存活下來真是奇蹟呢。

> 不愧是團長，卡隆叔叔真的很厲害。

安德魯感覺面前的教官比他見識過的敵人都更強。

> 變色龍我打敗過，三頭犬我也不畏懼，我就不信我們打不贏老爸！

人狼卡爾躍起從左路進攻，安德魯立即向右夾擊。

「坦白說，變色龍索隆和毒蜂女莎朗在黑魔法派幹部中只是排名最低的兩人，而且他們擅長的領域也不是正面作戰，遇上這種對手是你們幸運罷了。」卡隆輕輕鬆鬆已化解兩人的攻勢：「而三頭犬賽伯拉斯想必是太過低估你們，加上有玥華法師助陣，你們才能拾回性命。」卡隆以兩隻大手把兩人舉起。

「但往後的對手不會再輕敵，大人們也未必能 **及時趕到**，要是不加緊腳步，你們珍而重之的人隨時會遭遇不測。」卡隆認真地說，然後鬆開兩手讓兩人跌坐在地。

「特別是卡爾，別再逃避月圓之夜，在這次『銀月祭』**更上一層樓**吧。」卡隆想兒子成材，他相信卡爾不會敗給滿月的考驗。

卡爾之所以一直迴避月圓之夜，是因為在他的心底裡對滿月的力量有所畏懼。

卡爾、四葉和安德魯的特訓也是和體能有關，但迦南是人類，她的身體就算怎樣鍛煉亦追不上妖魔般 **強而有力**，所以卡隆請來精靈法師協助迦南，讓她在魔法使用上達到更高境界。

貝露帶迦南到魔法用品商店的目的，是購買進階魔法師必備的用品。

最新型號的飛行掃帚、能增強魔法力量的
魔法水晶權杖、能抵擋魔法攻擊的特殊斗篷、
還有各式各樣的魔法藥水和道具，包羅萬有。

迦南被眼前新奇的商品吸引了目光……

很有趣啊！

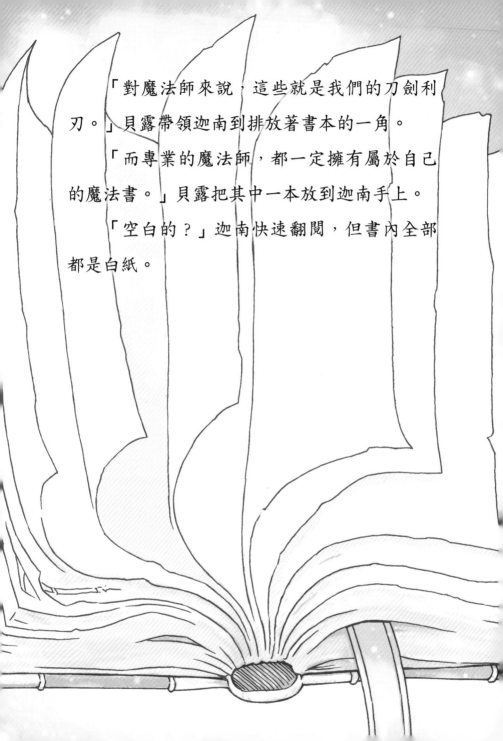

「對魔法師來說，這些就是我們的刀劍利刃。」貝露帶領迦南到排放著書本的一角。

「而專業的魔法師，都一定擁有屬於自己的魔法書。」貝露把其中一本放到迦南手上。

「空白的？」迦南快速翻閱，但書內全部都是白紙。

「屬於自己的魔法書當然要自己製作呀，挑選一本吧，我送給你當作**見面禮**。」貝露微笑著說。

「我……我還有一些東西想買。」迦南看著陳列的首飾害羞地說。

購物過後，貝露和迦南坐在噴水池旁邊稍作休息，迦南選了一本小巧的粉紅色硬皮魔法書，根據貝露所說，**初學者**通常都選用較薄較輕巧的魔法書。

「看看吧，這本就是我的魔法書，內裡每一個**魔法陣**也是我親自挑選，親自畫上的。」貝露拿出她的黃色大魔法書，書的封面已有不少破損，顯示它陪伴著貝露已有一段日子。

「**啊！飄起來了！**」

魔法書受魔力影響飄浮在迦南前面，這設計方便於魔法師一邊移動一邊作戰。

「有了魔法書，你就不用動不動花時間繪畫魔法陣，要知道在戰場上每分每秒也足以**影響戰局**啊。」貝露輕舞魔法杖，魔法書便翻動起來，直至貝露示意停止。

「組織好自己習慣使用的魔法，然後排列出容易背誦的次序，你就能在戰鬥時更靈活，更**得心應手**。」不用花長時間繪畫魔法陣，就能減少在繪畫途中受到襲擊，魔法書這發明大大提升了魔法師的作戰能力。

「我也能造出自己的**魔法書**嗎？」迦南翻開自己的魔法書，幻想著把這一頁又一頁白紙寫滿。

「當然可以，但時候不早了，我們先回卡爾的家吧。」貝露看著迦南，有如看到自己年幼時的樣子，當年她**第一次**接觸魔法書時，相信也是流露出同樣的表情。

　　人類和精靈的身體構造比其他妖魔軟弱，但他們都特別擅長使用魔法，只要努力不懈，發揮所長，人類和精靈也**不會輸**給其他種族。

◆ 第六章 ◆

滿月的考驗

卡爾家。

經過一天的操練,卡爾、安德魯和四葉的體力都消耗甚大,來到晚餐時間,他們全都狼吞虎嚥起來。

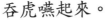 伯母!請再給我一碗白飯。

就連平日食量不大的安德魯也成了大胃王。

孩子們盡情吃吧,廚房內還有很多飯菜呀。

卡爾的媽媽喜歡這種熱鬧氣氛。

「吃飽後再特訓,我偏不信我們會輸給老爸。」卡爾吃著雞腿,就算今天完全被卡隆玩弄於股掌之中,他的爭勝心還是有增無減。

「今天之內就算只是一下，也一定要擊中卡隆叔叔。」安德魯也一樣，面對高牆還是**無畏無懼**。

用尾巴拿餐具真不容易呢……

四葉就算在晚餐時間也不忘訓練，她要把尾巴操控得有如手腳般靈活。

「從今天起你的日常生活也要以尾巴代替手臂使用，很快就**熟能生巧**了。」蜘蛛多恩表演以六隻手快速把烤豬切成多份。

「大家，我回來了。啊！你們不等我就先吃了。」迦南和貝露也回到卡爾的家了。

「咳……咳咳……」大吃的模樣被迦南看到，安德魯不小心嗆到。

「哥哥姐姐們，我們漂亮嗎？」

卡爾的三個弟妹換上了人狼傳統的舞蹈服裝蹦蹦跳跳地說。

「啊，很漂亮嘛，是為『銀月祭』準備的吧？」四葉對人狼的傳統也**略有所聞**。

「嗯！是媽媽親手做的！節慶當日大家也會聚在市集一起跳舞，四葉姐姐你也會來吧？」卡爾的妹妹邊跳舞邊說。

「當然會，卡爾你們也會一起來吧？」四葉望向其餘三人，但見他們都面有難色。

「我不去，那天我要好好睡覺。」卡爾
板起臉說。

因為對卡爾來說，滿月高掛的「銀月祭」，
是危險的日子。

深夜時分，法蘭提著採集的成果回到
卡爾家，他走到廚房裡，把紫色的花朵交到卡
爾媽媽手上。

「辛苦你了，法蘭老師。」卡爾媽媽感激
地說。

「舉手之勞而已，但卡爾還打算逃避

下去嗎？比他更年輕的人狼都已接受了滿月的考驗了。」法蘭採集的紫色花朵，是用來浸泡花茶的長眠花。

「那孩子看來還未走出兒時的陰影，安全起見，還是先準備好長眠花茶吧。」卡爾媽媽露出悲傷的表情說。

「想不到過了這麼久，卡爾還在自責呢。」法蘭清楚在卡爾身上發生過的事。

「畢竟對卡爾來說，那是刻骨銘心的悲劇。」卡爾的媽媽也很期望有天卡爾能走出悲痛，成為獨當一面的人狼。

而在卡爾家外，安德魯和迦南又再並排而坐，特訓的時間裡他們都看不到彼此的身影，所以在一天結束前，他們想要一點獨處的時光。

「送給你的。」迦南拿出一本深藍色的魔法書。「這是⋯⋯專業魔法師常帶著的魔法書？」安德魯喜出望外，他也認識這魔法道具。

「嗯！待我學會使用後，再教你吧。」迦南在來到魔幻世界後一直得到安德魯幫助，她也想為這個**守護者**做點什麼。

「謝謝你，特訓辛苦嗎？」安德魯摸著迦南頭顱說。

「不辛苦，貝露小姐很友善，她還告訴了我很多人狼族的事……」說起人狼，迦南想起一件讓她十分在意的事。

「對了，安德魯你和卡爾自小便認識，你知道他為什麼還未接受滿月的考驗嗎？」迦南不明白為何好勝的卡爾會逃避這考驗。

「滿月的考驗……曾奪走卡爾好友的性命，而且這慘劇發生在卡爾眼前。」安德魯回憶著說。在他們還小的時候，卡爾和安德魯在人狼山谷還有一位要好的朋友，他們曾相約一同長大，一同到魔幻學園上學，但滿月的考驗打破了他們的約定，更在卡爾心中拿下傷痕。

「我們一起變強吧！在這次滿月裡通過考驗！」年紀小小的人狼迪馬握著小卡爾的手說。

小卡爾信心十足……

嗯！我一定能通過的！

「真羨慕你們呢，吸血鬼為何沒有這種考驗？」小安德魯說。

「哈哈，這是只有人狼才擁有的**禮物**呀。」迪馬和卡爾雖然年幼，但在這一輩中卻是最出色的兩人。

「**月亮之神**的禮物，我們很快就能拿到了！」卡爾開懷大笑，因為這刻他還未知道考驗的危險性。

直至下個月圓之夜，這考驗真的降臨了。

卡爾看著失控的友人大叫……

迪馬！

「吼！」被滿月影響，迪馬失去了理智化身成眼泛藍光的大人狼。

「停下來！不要再**傷害無辜**了！」卡爾大喊著，迪馬已殺害了兩名人狼，他的兩爪染滿鮮血。

「卡爾，離遠一點，迪馬已失去理智了。」安德魯拉著卡爾說。

「他可是我們的朋友呀！」卡爾推開了安德魯，但迪馬已開始奔跑。

卡爾和安德魯一路追蹤，直至在狼牙山上發現流著淚水吼叫的迪馬。

「迪馬……」卡爾呆住了，因為失控的迪馬兩爪下是迪馬父母的屍體。

迪馬在滿月的挑戰中失敗了，他無法回復理智，淪為只會**殺戮**的野獸，就連卡爾他也無法認出。卡爾被迪馬的利爪抓得滿身傷痕，但他還是不退縮……

不要，不要輸給滿月呀！

　　「卡爾！快遠離他！」卡隆和幾個年長的人狼趕到現場。

　　「不！迪馬一定能回復過來的！」卡爾抱著友人，就算背部已被抓得血肉模糊也不放手。

　　「太遲了……」迪馬張開**血盆大口**，卡隆眼見兒子危在旦夕唯有拔出大劍。

　　終於卡爾及時得救，但卡隆的大劍已貫穿迪馬的**心臟**，他再無法和迪馬一同奔跑，一起變強。

「這種**不知所謂**的力量，我才不要。」

卡爾悲傷了好一陣子，他身體上的傷痕已徹底康復，但他心靈上的傷痕卻無法磨滅。

卡爾很內疚，他痛恨自己為什麼沒有在同一天受到滿月的考驗，如果他能通過，說不定就能阻止迪馬，說不定能把迪馬喚醒，但一切已成定局，所以卡爾不再接受滿月的考驗，每逢月圓之夜他也喝下長眠花茶睡至天明。

「想不到在卡爾身上發生過這麼悽慘的事。」迦南難過地說。

「嗯，所以這次『銀月祭』他應該也不會出現了。」安德魯苦笑著說。

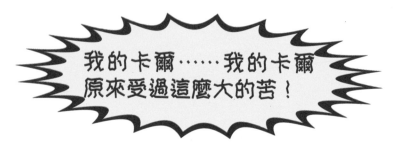

我的卡爾……我的卡爾原來受過這麼大的苦！

四葉一直在他們身後偷聽，現在終於按捺不住抱著迦南哭起來。

「唉呀……四葉你怎會在這裡的？」迦南安慰著說。

「**我做了消夜，本想叫你們一起吃的。**」四葉邊哭邊說。

「卡爾他在吃吧？」安德魯說。

「嗯，他吃得**津津有味**，卻不把這難過的經歷告訴身為未婚妻的我。」四葉想了解

卡爾更多。

「這件事你們還是裝作不知道吧，相信卡爾也不想提起。」安德魯諒解卡爾，心中的傷痕不是別人該觸碰的事。

結束了傷痛回憶之後，三人也**若無其事**地回到屋中，看著大吃消夜的卡爾微微一笑。

第七章
不死族

　　訓練的日子繼續進行，四葉跟隨蜘蛛多恩在森林裡進行尾巴操練，而卡爾和安德魯也繼續和卡隆進行**搏擊訓練**。

　　「安德魯！上！」卡爾搶先進攻，但他的攻擊被卡隆輕易擋下。

　　「不錯嘛。」但卡隆馬上受到安德魯的突擊，兩人的配合**一天比一天**熟練。

　　「卡爾！別停下來！」安德魯的飛踢過後，卡爾又再揮拳進攻。

　　「嗯，身手變靈活了，但力度還是不足。」卡隆一手握著安德魯的腳，另一手接下卡爾的拳。「看來要增加特訓內容了。」卡隆摔下兩人，然後吹了一聲口哨，村內的人狼突然搬出兩件閃爍著銀光的**大礦石**。

「這是什麼？」安德魯疑惑地說。

「這是狼牙山谷特有的礦石，重量是正常金屬的**五倍**，你們推著這東西跑上狼牙山頂上吧，日落前要完成。」卡隆拍打礦石，傳出響亮的聲音。

「吓！這東西⋯⋯能推得動嗎？」卡爾用力一推，但礦石只是稍微移動。

「推著跑呀！這麼慢你們別想有晚飯吃！」卡隆大喝一聲，兩人立即用盡全力。

「男孩子的訓練真的很辛苦呢。」在不遠處的迦南看著他們說。

「你的訓練內容也不會輕鬆呀，魔法書上已畫上魔法陣了吧？」精靈貝露拿出魔法杖，漂浮的魔法書**散發亮光**。

「是！」迦南也準備就緒，她的魔法訓練即將開始。

「那就先輕鬆地實戰一下吧，你要小心啊。」魔力上升，貝露的魔法書已翻到攻擊魔法那一頁上。

「防禦用的魔法……」但迦南還未熟習魔法書的運用。

「我來啦，上級**火焰魔法**。」魔力注入頁面，火焰魔法就從貝露的魔法杖前發出。

「**防禦魔法！橡皮球！**」雖然手忙腳亂，但迦南還是及時防禦下來。

「很好，那我們再加快速度和魔法的強度囉。」貝露是專業的魔法師，雖然常面帶笑容，但訓練起來也絕不手軟。

「是！」迦南雖然緊張，但新的魔法用具將會大大提升她的實力。

距離「銀月祭」還有三天，這三天他們的行程也全是訓練，但這努力**不會白費**，進步就是從紮實的基礎訓練開始，能瞬間讓人變強的方法都是**邪魔外道**，而選擇這條路的人也只會深陷黑暗之中。

　　黑翼古堡之內，阿諾特正看著士兵操練，吸血鬼一族開始學習黑魔法，這力量讓士兵們實力**大大提升**。

　　「喂，吸血鬼王，突襲的準備如何呀？」個子小小的女妖魔依娃說。

進展良好，這一批士兵已準備好攻打人狼山谷。

阿諾特不敢頂撞依娃，他從依娃身上感受到比自己更強的魔力。

「既然如此，那就在『銀月祭』當晚狠狠教訓一下人狼吧！」依娃叉著腰趾高氣揚地說。

「那晚是月圓之夜，人狼會比平常更強悍，為什麼要選當晚？」阿諾特摸不著頭腦。

「**你真笨呢！**『銀月祭』當晚大部分人狼都會在市集慶祝，我們就趁機攻擊他們的村落，殺他們一個**措手不及**！到他們發現趕回來時就撤退，那就能避免和大軍對壘啦，你這膽小的吸血鬼王想必也無膽量和人狼族正面衝突吧？」依娃比阿諾特更有策略，外表有如小孩子的她，其實深謀遠慮。

「那就依你意思去辦吧。」阿諾特只能交出**指揮權**。

「作戰前夕我要好好睡一覺呢，你們加緊訓練吧。」依娃說罷伸了一個懶腰便慢慢離去。

「阿諾特陛下，我們為什麼要聽這小女妖的說話？」阿諾特的部下不滿地問。

「她才不是小女妖，依娃是已活上幾百年的僅存無幾的**不死族妖魔**。」阿諾特抖顫著說。

「那種可怕的妖魔還存在嗎？」阿諾特的部下說。

不死族，是在魔幻世界僅存最後幾百隻的妖魔，他們不會衰老，他們擁有強大的復原能力，最可怕的是他們能操控**屍骸**。

久遠以前，不死族並不是這樣的妖魔，他們只是很弱小的一群，在小部落裡生活，但因為弱小，他們被強大的族群欺凌屠殺，於是他們一邊流浪一邊尋找讓族人強大起來的方法。

最後，他們迷上了黑魔法中最危險的一項——**死靈魔法**。

他們全力研究，終於實現了這強大而可怕的魔法，死靈魔法讓他們不再衰老，他們的再生能力比人狼更強，更甚的是他們能以魔法讓屍體再次動起來，成為他們的士兵。

不死族因此壯大起來，但不會衰老的他們同時無法**繁衍後代**，王國得知這危險的勢力愈來愈大後，聯同多個種族向他們發起了戰爭，不死族雖然頑強抵抗，但最終也是落敗收場，倖存的不死族妖魔也隱藏起來，偷偷摸摸地存活至今。

依娃正是在小時候變成**不老之身**的妖魔，她的家人朋友不是死了，就是過著過街老鼠般的生活，直至遇到海德拉。

海德拉讓她的人生發光發亮，他給予依娃九大幹部的地位，她的能力得到器重，就連吸血鬼一族現在也對她俯首稱臣。

所以依娃只聽從海德拉一人的說話，為了海德拉，她甘願**付出性命**，在不會衰老的漫長生命裡，唯有海德拉讓她看到色彩，看到光芒。

「所以這次偷襲就由她指揮吧，要是她認真起來，說不定真的可以把人狼族連根拔起。」阿諾特追求力量，但面對更強的妖魔也只能屈服。在**弱肉強食**的世界，力量就成為了主宰，追求力量的同時等於追求權力，但迦南和安德魯不一樣，他們追求的，是自由安穩的日子。

日落時分，拖著大礦石的安德魯和卡爾終於到達山頂，在狼牙山上的夕陽美麗如畫，但**筋竭力疲**的兩人未有心情欣賞。

卡爾向山谷振臂一呼：

「終於到了！」

「但年長的人狼卻能輕鬆地搬起。」安德魯回想起送礦石給他們的人狼表現輕鬆。

「這樣搬石頭真的能變強嗎？老爸不會是騙我們吧？」卡爾疑惑地拍打閃爍的礦石。

「這不是普通石頭呀，這是人狼山谷獨有的**力之礦石**。」在山上採集魔藥的法蘭走到兩人面前。

「力之礦石？」卡爾和安德魯異口同聲說。

「這種礦石會**呼應**接觸者，令推動它的人體力增強，這種礦石是很稀有的。」法蘭以刀子輕刮礦石的表面，採集樣本。

安德魯看著自己的手臂，接觸過力之礦石後他的手掌還留有小量閃爍的物質。

「卡隆為了讓你們變強**苦煞思量**，卡爾你也別再停下腳步了。」法蘭的話有弦外之音。

「我不知道你在說什麼。」卡爾想要迴避話題。「**跟我來**。」法蘭轉身走向洞穴的方向，在狼牙山頂的一個隱蔽洞穴。

洞穴之內到處閃爍著點點亮光，和力之礦石的表面一模一樣，法蘭帶著他們走到洞穴深處，那裡豎立著**數之不盡**的長劍，而每一把劍上也刻上不同的名字。

迪馬。

安德魯看著劍上的名字說。

這裡是人狼族的**墓地**，人狼死後都會被
埋葬在此，並在墳前插上一把長劍，以示對戰
士的尊重。

「這孩子雖然無法通過考驗，但他勇敢地
面對，他沒有逃避，他是位**出色的戰士**。」
法蘭在迪馬墳前鞠躬。

「就算他的生命短暫，他也不辱人狼的名
聲。」法蘭轉身走到卡爾面前。

「而還活著的你，要繼續逃避下去嗎？」
法蘭說罷慢慢步出洞穴，留下還低著頭的卡爾
和安德魯。

　　自從跟隨法蘭去墓地之後，卡爾便一直愁眉苦臉，雖然在訓練過程他還是一樣專注，但他心中的傷痕還在隱隱作痛。

　　三天的訓練持續進行，安德魯和卡爾每天都把力之礦石推到狼牙山頂再推回草原，然後和卡隆進行博擊訓練。

　　迦南使用魔法書的技巧也愈來愈純熟，面對貝露的連番進攻也不再顯得手足無措，四葉的尾巴操作訓練也進展順利，九條尾巴的靈活程度足以和蜘蛛的手足媲美。

　　時間飛逝，終於來到「銀月祭」當日，今天他們不再需要訓練，年長的人狼們一大清早已去到市集作最後準備。

「謝謝貝露你的指導，我一定會好好運用這本魔法書的。」迦南向貝露**鞠躬**。

「你在魔法運用上的資質不錯，假以時日一定能成為優秀的魔法師。」貝露微笑著說。

「妖狐小公主不要忘記在日常生活也要多動尾巴呀。」多恩也很滿意四葉的表現。

「下次見面時我一定不會再被你摔倒的。」四葉裝起**鬼臉**說。

「那麼我們先回皇城了，後會有期啦。」貝露和多恩已整理好行裝，他們準備離開人狼山谷。「那我們要去市集嗎？」安德魯問。

「你們去吧，我還有事要辦呢。」四葉從今天一早就無見過卡爾，對她來說卡爾的情況比節慶活動更重要。

「不如我們也留下來吧？」迦南也一樣擔心。

「讓他們二人獨處吧，或者四葉能解開卡爾心結。」困擾著卡爾的事，安德魯很清楚。

「銀月祭」快將降臨，對大部分人狼來說這是值得慶祝的事，但對卡爾來說，每一次滿月也是他心痛的日子，能帶他走出傷痛的人或許不是人狼和吸血鬼，而是思念著他的九尾妖狐。

傍晚時分，市集內的氣氛已熱鬧無比，人狼們在**載歌載舞**，還有很多小食檔攤已排著人龍，人狼們穿起民族服飾，舞動著特色樂器，在迦南眼中這是新奇無比的景象。

「安德魯！快看！」迦南挽著安德魯的手看到舞著火劍的人狼讚嘆不已。

「**火之舞**，這是人狼男性的舞蹈。」安德魯解釋著說，臉頰已像蘋果般紅。

「那個！那女生很厲害啊！」舞動著彩色絲帶的女人狼動作靈活得有如躍兔，迦南但覺**目不暇給**。

「月之舞，女人狼都很擅長這種舞蹈。」安德魯的眼睛其實只顧看著迦南。

「很漂亮啊！」迦南停下腳步，魔幻世界的節日比她在人界看到的更**多姿多采**。

「你更漂亮。」安德魯一不留神說出了心底話。「吓？」迦南聽到後也呆住了。

「吖！卡隆叔叔在那邊呀！」安德魯連忙**轉換話題。**

「大伙們！把力氣拿出來！」卡隆拿著大槌擊鼓，他身後的人狼們也一起敲響傳統樂器。

男人狼在擊鼓，女人狼在跳舞，熱鬧的氣氛讓所有人放下戒心。

「**我們也一起跳好嗎？**」安德魯向迦南伸手邀請。

「在跳舞前我有一件東西想送給你。」迦南在裙袋裡拿出在魔法用具店內她買下的另一份禮物。

「這是……」安德魯**心跳加速**，他的右手無名指上被套上一隻銀色蝙蝠指環。

「很合適呢，謝謝你一直照顧著我。」迦南當時看到這戒指後就忍不住付款，她很感激一直守護著她的安德魯。

「我在你身上得到的已太多了吧？」魔法書、戒指，而且還有⋯⋯安德魯保護迦南其實**不求回報**，他的行動是遵從自己的心。

「魔法戒指內收藏了一發魔法攻擊，這不只是飾物，也是**護身符**呀。」只要心意相通，付出與否迦南也並不計算，能這樣緊貼著

安德魯欣賞慶典，已是金錢買不到的幸運。

煙火在空中發出亮光，太陽西下圓月高掛，閃耀銀光的滿月已昇起，全場的人客也為「銀月祭」歡呼。

而在較早之前，四葉終於找到了卡爾。

狼牙山頂的墓穴之上，四葉找到獨自靜坐的卡爾，卡爾呆坐在迪馬墳前大半天，那充滿鮮血的回憶還**歷歷在目**。

「我不要這種力量，那種充滿**血腥味**的力量。」卡爾還在恐懼，他怕的不是當時自己受到的傷，而是自己會變成同樣的野獸。

「卡爾。」四葉在卡爾背後說。

「啊？你不和他們去市集慶祝嗎？」距離滿月高掛還有兩小時，卡爾望向身後的四葉說。

「很……很漂亮。」卡爾羞紅了臉，他無想過四葉穿起人狼的傳統舞衣是這麼耀眼。

「我們一起慶祝吧，只有我們二人的『銀月祭』。」四葉握住卡爾的手，這一晚她決定留在卡爾身邊。

回到卡爾老家內，本來熱鬧的房屋只餘卡爾和四葉兩人，但飯桌之上已擺滿飯菜，四葉為這一晚已早有準備。

要是卡爾不想參與慶典，那就來一場只有二人的慶祝晚會吧。

「這些都是？」卡爾既感動又驚訝。

「是我們的慶典呀，別客氣！你的胃由我來填飽！」四葉為卡爾裝滿碟子。

「我是不會浪費食物的！」卡爾馬上引擎全開，把美食送到口中。

每逢滿月的日子，卡爾也會喝下長眠花茶躲到床上，日漸西下，月亮升起的時間已不遠了，而四葉準備的飯菜也快被卡爾吃光。

「呀⋯⋯差不多是時候了。」卡爾取出一個小木桶，內裡是他的媽媽預先泡好的長眠花茶。

四葉握著卡爾的手說⋯⋯ 不，不要喝。

「我喝完就去睡了，謝謝你的晚餐呀……」卡爾顯得慌張，他害怕**滿月的考驗**。

「不，我想和你跳舞，人狼的舞蹈，我想牽著你手跳。」四葉伸出了手，她想幫助卡爾克服陰影。

「我會一直在你身邊，別害怕，我可是妖狐公主啊。」卡爾在月圓之夜總是孤獨地躲藏，他沒遇過像四葉一般會牽起他手，讓他安心的人。終於卡爾放下了木桶，他和四葉兩手緊握，沒有理會滿月已升起，從房子轉到草原上起舞。

「和人狼在滿月下跳舞是很危險的事呀。」卡爾的手心傳來四葉的溫暖。

「**不危險**，只要我們同在，就沒什麼需要害怕了，我們連黑魔法派的幹部也打敗過呀。」四葉邊笑邊起舞。

這種帶著愛慕和關懷的舞蹈，是能戰勝悲傷的強大力量。而同一時間，黑暗勢力已悄悄進入人狼山谷。

第九章

白骨人狼 VS 銀毛人狼

市集內**歌舞昇平**，但在狼牙山上卻充斥著黑魔法的力量，阿諾特帶領著三十名吸血鬼士兵乘夜入侵，這次偷襲行動的指揮官不是吸血鬼，而是不死族的依娃。

「為什麼要走到山頂？突襲村落不是更快捷嗎？」阿諾特問。

「唉，單靠三十人又怎夠力量去挫敗人狼族呢？看看我的本領吧，天真的吸血鬼王。」依娃走到墓穴深處，她的身上散發著詭異的綠光。

「**亡者們啊，撐起你的手腳，抬起你的頭顱，在永恆的時間狂奔，在無盡的黑暗揮劍吧！**」

依娃畫出大型魔法陣並唸出禁忌的咒語，
她的黑魔法讓被埋葬的人狼都重新動起來。

不死族的妖魔能操縱屍骸，墓穴正是發揮這力量的最佳地點，一副又一副白骨人狼從墓穴彈出，亡者的力量已被依娃操控。

就算已化成白骨，這些骷髏人狼也會成為強大的戰力，狼牙山谷上的黑暗勢力，已迅速向村落蔓延。

「起舞吧！為這美麗的滿月繼續起舞吧！」市集內，卡隆還在熱烈擊鼓。

「**團長！大事不妙！**」本已離開的貝露和多恩突然折返。

「啊？怎麼了？你們不是先回皇城嗎？」卡隆還被蒙在鼓裡。

「團長！吸血鬼突然發起進攻，還有大批白骨人狼正在襲擊村落！」多恩緊張地說。

「全體返回村落！人狼們準備全力迎戰！」卡隆**發號施令**，人狼們都放下樂器換上嚴肅的表情。

「吸血鬼？為什麼我的族人會襲擊這裡？」安德魯不知道吸血鬼的領導人已改朝換代，人狼和吸血鬼的**友好關係**已成過去。

「卡爾和四葉還在村內！我們要盡快回去了！」迦南擔心友人遇險。

「抱著我！」安德魯立即張開翅膀，抱著
迦南飛向卡爾的家。

人狼村落火光四起，三十名吸血鬼士兵在
空中使出火焰魔法，燒毀人狼的木屋。

卡爾和四葉看到敵人來襲後立即疏散還在

村內的平民……

「大家快逃跑！」

「卡爾！看看那邊！」四葉指著狼牙山的方向，大批白骨人狼正向村落奔跑。

「**見鬼了……為什麼屍骨會動起來的。**」卡爾心寒著說。

「是不死族的黑魔法，你們繼續疏散人群，保護自己不要勉強參戰。」法蘭沒有去市集慶祝，他在採集途中察覺異樣後已趕回村落。

法蘭扔出鐵鏈，把空中的一名吸血鬼扯到地上。

「為何要襲擊這裡？人狼和吸血鬼不是盟友嗎？」法蘭質問說。

「**時移世易**，這是新的吸血鬼王的意思。」吸血鬼士兵還想掙扎，但被法蘭的雷電魔法擊暈。除了空中的襲擊，地面上的白骨人狼大軍已近在眼前，法蘭只好**集中精神**全力迎戰。

盡情殺戮吧，亡者們。

依娃在空中飄浮，要讓白骨停下唯有先把她擊倒。

「敵人太多了！」卡爾一邊保護著兩隻小人狼一邊擊退白骨。

「支持住，卡隆叔叔應該快趕到了！」四葉以狐火反擊，把白骨人狼炸成碎片。

但**敵眾我寡**，卡爾和四葉保護不了多少沒作戰能力的人，很多無辜百姓已在他們眼前喪生。

「如果我有更多力量，如果我能變得更強……」生命在眼前流逝，卡爾感到無力，像他拯救不到昔日友人時一樣。

「**卡爾！小心！**」卡爾無留意從上而來的火炎攻擊，四葉捨身擋在他前面。

「四葉！」不只平民，卡爾現在連四葉也保護不了。

「**快逃跑**……帶著這兩個小孩跑吧。」四葉負傷倒地，更多白骨人狼已張牙舞爪。

「**不可以**……」看到受傷的四葉，卡爾的眼睛出現了變化。

今晚是月圓之夜，卡爾未通過的考驗剛好出現了。

「要保護我重視的人，那我就不能再逃避！」滿月的考驗降臨卡爾身上，他的眼睛亮起藍光，他的身體急速變化，變身成更強壯的銀毛人狼。

卡爾的揮爪**一擊打碎**前方多副白骨人狼，空中的吸血鬼想逃跑也被他抓住摔到地上。

「安德魯！四葉在那裡，還有那大人狼……難道是卡爾嗎？」迦南和安德魯也飛到現場。

「貝露和多恩帶一半人狼協助平民疏散！其他人跟我**全力抗敵**！」卡隆率領人狼戰士反擊。

「大軍到場了，我們也是時候準備撤退吧？」阿諾特沒有參與戰鬥，他不想和人狼正面對決。

「稍等一下，我發現有趣的東西呢。」依娃看著迦南和四葉說。

受到滿月影響的卡爾**力量驚人**，但他的理智還未回復過來，狂暴的人狼兩爪有如暴風，無數白骨被他粉碎。

「四葉！我替你治療！」安德魯和迦南從

天而降，迦南立即拿出魔法書使用治癒魔法。

　　「卡爾他還在考驗中，我們有什麼可以幫他嗎？」四葉懶理傷勢，她只擔心卡爾的安危。

　　「沒有，能回復過來的方法只有靠他的意志，如果被狂暴吞噬，他便會和迪馬一樣。」安德魯拿出魔法杖嚴陣以待。

　　因為卡爾已**不分敵我**，銀狼大爪正揮向安德魯他們。

　　「**銅牆鐵壁！**」安德魯張開防護牆，勉強擋下卡爾的攻擊。

「吼！」但這樣只會讓失控的卡爾更憤怒，他的下一發攻擊已**蓄勢待發**。

「**卡爾！不要！**」四葉流著淚呼喊，她害怕卡爾永遠回復不來。

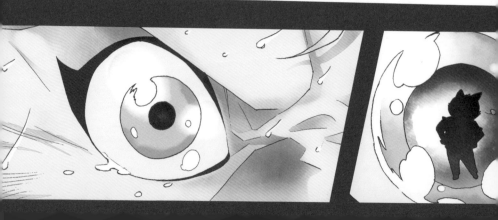

四葉的呼喊讓卡爾短暫停止下來,他的眼睛更仿似看到一個熟人的身影。

「卡爾,你一定能戰勝考驗的。」

卡爾眼前的一副白骨人狼,在他眼內正是迪馬。

「迪馬⋯⋯」卡爾眼睛閃著的藍光漸漸散去。

「你要用這份力量去保護同伴，別像我一樣傷害自己珍惜的人。」迪馬的亡魂在為卡爾打氣。「對不起⋯⋯如果我當時有這份力量，你就不用被殺死。」卡爾一直在自責，他從沒有向迪馬道歉的機會。

「別被過去所困住，你現在有更重要的事要辦。」迪馬笑著說，他沒有怪責過別人。

「謝謝你，朋友。」卡爾終於回復理智，眼中藍光已全部消失。

「卡爾！你能聽到我的聲音嗎？」四葉還在呼喊。

「當然聽到了，你的聲音這麼大。」卡爾保持著銀毛人狼的模樣，身體已完全受控制。

「幹得好，那我們一起協助卡隆叔叔擊退敵人吧！」安德魯會心微笑，他和卡爾已不是需要人保護的小孩子。

長久的學習和訓練已把兩人鍛煉成戰士，雖然還不夠老練，但他們已有資格踏上戰場。

第十章
訓練之旅驚險結束

　　卡隆帶領的大軍全力進攻，白骨人狼已不再構成威脅，阿諾特召集了還餘下的吸血鬼士兵，他已準備好撤出狼牙山谷。

　　「卡隆叔叔，法蘭老師。」安德魯和卡爾來到前線。

　　「看來卡爾成功**通過考驗**了呢。」法蘭欣慰地說。

　　「不愧是我的兒子。」但卡隆的神情卻略帶悲傷。

　　「老爸，怎麼了？」戰況已穩定，卡爾不明白父親為何露出這樣的表情。

　　「這些白骨，他們曾是我們的家人，我們的戰友，把亡者當成**戰鬥工具**的人實在太可恥了。」卡隆為先人感到悲傷。

「現在連吸血鬼也歸順於黑魔法派，這次襲擊只是宣戰而已，往後魔幻王國恐怕會更多災多難。」法蘭看著上空的阿諾特，他知道現在去追，也追不上飛行了得的吸血鬼。

而且這班吸血鬼全都學習了黑魔法，他們的實力已遠勝從前。

「安德魯，我們會再見面的，下一次我一定會把你徹底擊敗。」阿諾特對安德魯的仇恨絲毫沒有減退，他們註定要再分勝負。

戰場的另一邊，四葉和迦南正在為傷者治癒，但她們的身後卻出現黑魔法的氣息。

「**金黃魔力**的持有者，若我把你們捉拿回去的話，海德拉大人一定會很高興吧？」依娃闖到人群之中，其他人狼戰士立即提高警覺。

「你是誰？」迦南感受到強大的壓迫感，她很清楚眼前的妖魔和她曾作戰過的，具有不同水平——**遠遠強大得多了**！

「我是不死族的依娃，我和你們這種被上天祝福身上散發金光的人不同，我是被世人詛咒的、痛恨的一方。」依娃緩緩提起兩手，附近被擊散的白骨又再重新站起。

白骨人狼包圍著依娃，其他人狼戰士也**不敢妄動**。「放心吧，我今晚的任務只是教訓一下人狼，但下次見面時，我便不會手下留情了。」白骨人狼靠在一起，堆砌成一頭白骨飛龍成為依娃的坐騎。

迦南和四葉目送著依娃離去，這晚她們深深感受到黑魔法派的幹部有多強大，她們雖已**日漸變強**，但成長的步伐還未夠縮短這遙遠的差距。

翌日上午，人狼村落回復平靜，雖然要回復原貌還需要時間重建，但這次襲擊的傷亡也不算慘重。

「假期結束了，你們快回魔幻學園吧，記著訓練的內容，往後要更加努力鍛煉呀。」卡隆穿回騎士的戰甲，但他不打算和迦南他們回學園，因為他要盡快向國王報告昨晚的襲擊事件。

「謝謝你的教導。」安德魯感激著說。

「我們送大家回去吧。」多恩和貝露騎上天馬，準備以飛天馬車送眾人回學園。

再見啦孩子們，我會再來探望大家的。

四葉和卡爾的弟妹道別，小人狼們都抱著她不願放手。

下次見面時可能我已是你們大嫂了呢！

四葉望著卡爾偷笑著說。

我不知道你在說什麼呢！

卡爾尷尬地別過臉去。

「昨晚不是說我是重要的人嗎？為了保護我還變成大銀狼了呢！」四葉跟著卡爾身後說。

「不知道，我沒有說過。」羞紅了臉的卡爾搶先走進飛天馬車。

「回去吧。」安德魯搭著迦南肩膀說。

「嗯，再見了，狼牙山谷。」迦南對這綠草如茵的大地道別後也步上車廂。

訓練之旅圓滿結束，在狼牙山谷他們都獲益良多，但在他們不知道的時間裡，魔幻學園也發生了大事……

下回預告

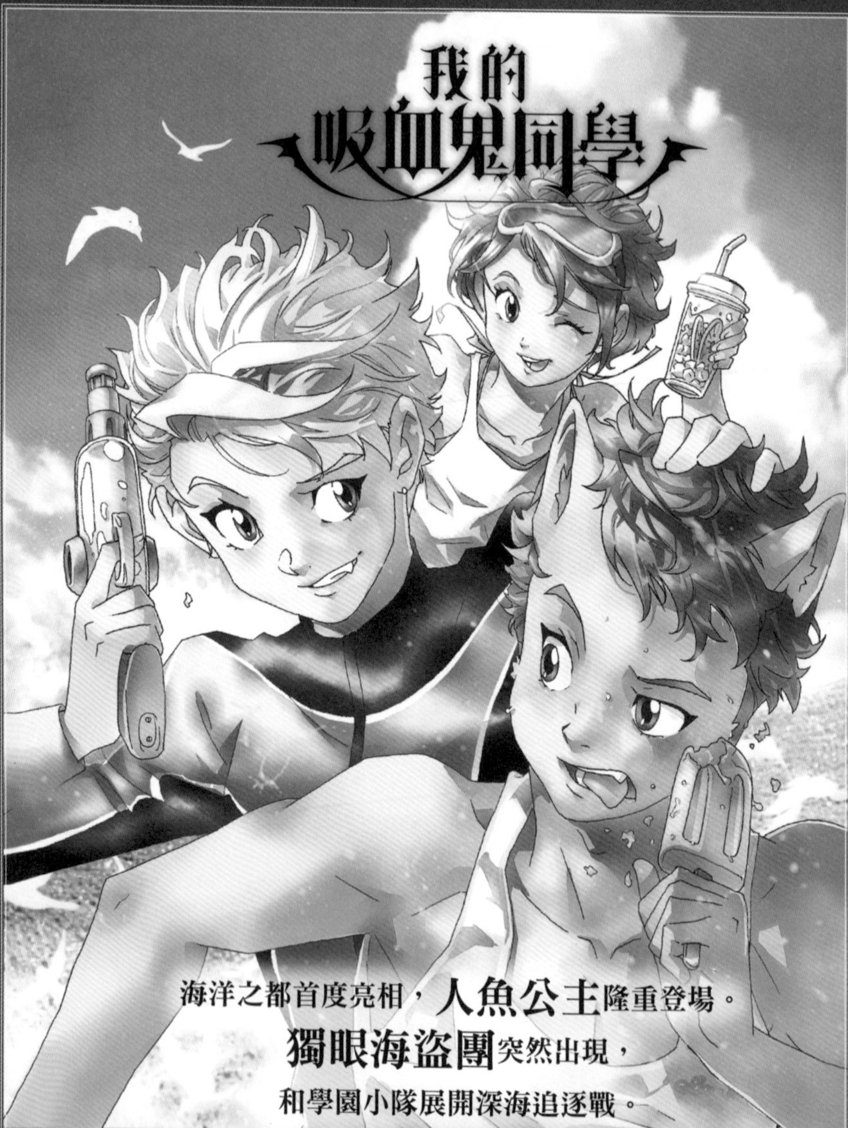

vol.5　經已出版

創造館

青少年圖文小說

經已出版

文——陳四月
圖——多利

黑貓是帥氣死神
說那麼說

文——陳四月
圖——余遠鍠

我的吸血鬼秘書
MY VAMPIRE SECRETARY

文——三聯幫牟中三
圖——力奇

放學時意外得到三界之刀
袞腫匭 保衛校園吧

文——卡特
圖——魂魂Soul

推理七公主
六甲篇

七月書展出版

文——謝鑫
圖——Mimi Szeto
（司徒恩翹）

我的青春風起雲湧

花漾

童話夢工場的角色們
這一次化身導遊帶你遊香港
並與你一起學習

小孩、大人、師生、
親子都看得懂
也必須知道的

童話夢工場
之
十萬個為什麼

有些知識，學校沒教，但一定要懂！
而且最好從小就懂！
與生活息息相關的選材，
例如：科技篇、地理篇、理財篇等……
21 世紀 20 年代全新編著，
後疫情時期認識新時代新世界，
書架上的必備知識類讀物。

與坊間和以往的《十萬個為什麼》有什麼不同呢?

- 由深受學生喜歡的童話人物,以遊香港為引子,在不同的景點講解知識,貼地又實用。

- 附設各區好去處的資料,可作為親子旅遊書,同時認識香港更多地方。

- 除解答「為什麼」問題之外,更有相關延伸學習資訊。

- 問題設定別出心裁,可應用到實際生活,並非一般常見的「萬年不變百科式題目」。

- 保證答案很難在維基或 google 一鍵找到啊!因此更具收藏價值。

- 每冊均獲得該範疇專業人士或學者監修/推薦

2023年書展

隆重呈獻

每冊 $88

我的 吸血鬼同學

創作繪畫	余遠鍠
故事文字	陳四月
策劃	YUYI
編輯	小尾
封面設計	Zaku Choi
設計	siuhung
出版	創造館
	CREATION CABIN LTD.
	荃灣美環街 1-6 號時貿中心 6 樓 4 室
電話	3158 0918
發行	泛華發行代理有限公司
	香港新界將軍澳工業邨駿昌街七號二樓
印刷	高科技印刷集團有限公司
出版日期	第一版　2019 年 12 月
	第三版　2023 年 7 月
ISBN	978-988-79842-2-1
定價	$68
聯絡人	creationcabinhk@gmail.com